ADIVINHAS
PONTINHOS

Ciranda Cultural

PONTINHOS

1. O que é um pontinho amarelo no estacionamento?
2. O que é um pontinho preto no meio da estrada?
3. O que é um pontinho branco no acostamento?
4. O que é um pontinho branco numa estrada?
5. **O que é um pontinho verde na estrada?**
6. O que é um pontinho preto no no canto da sala?
7. O que é um pontinho verde a 200 km/h numa descida?

Respostas: 1. É um Uno Milho; 2. Um calhamblack; 3. Um Uno Milho que estourou e virou pipoca; 4. Um arroz-royce; 5. Um volks-vagem; 6. Uma formiga de castigo; 7. Uma ervilha sem freio.

PONTINHOS

8. O que é um pontinho verde no aeroporto internacional?

9. O que é um pontinho verde no canto da parede?

10. O que é um pontinho verde no meio de vários pontinhos amarelos?

11. O que é um pontinho verde pulando no sofá?

12. Qual é o pontinho mais preguiçoso?

13. O que é um pontinho amarelo no céu?

Resposta: 8. Um green-go; 9. É uma ervilha de castigo; 10. Uma ervilha visitando a lata de milho; 11. É uma ervilha que saiu do castigo; 12. O ponto final, porque ele nunca quer fazer nada além de encerrar as coisas; 13. É um yellow-cóptero.

PONTINHOS

14. O que é um pontinho amarelo indo em direção ao Sol?

15. O que é um pontinho vermelho no oceano?

16. O que é um pontinho verde na piscina?

17. O que é um pontinho vermelho na piscina?

18. O que é um pontinho amarelo de um lado do ringue?

19. O que é um pontinho metálico na grama?

20. O que é um pontinho amarelo na limusine?

Respostas: 14. Um Fandango tentando virar Baconzitos; 15. Um red-molinho; 16. É uma ervilha aprendendo a nadar; 17. É um tomate cereja aprendendo a a nadar; 18. É o Jean-Claude "Fandangos"; 19. É uma formiga de aparelho; 20. Um MILHOnário.

PONTINHOS

21. O que é um pontinho branco em cima da geladeira?

22. O que são oito pontinhos vermelhos piscando alternadamente?

23. O que é um pontinho vermelho na parede?

24. O que são quatro pontinhos pretos na parede?

25. O que é um pontinho cinza no escritório?

26. **O que é um pontinho cinza na prisão?**

27. O que é um pontinho azul no outro lado do ringue?

Respostas: 21. Uma pipoca testando o paraquedas; 22. Uma aranha usando tênis com luzinhas; 23. Um red-relógio de parede; 24. Four-migas; 25. Um Gray-peador; 26. Uma gray-dé; 27. O Bluece Lee.

PONTINHOS

28. O que é um pontinho amarelo em cima de um prédio?

29. O que é um pontinho vermelho em cima de uma árvore?

30. O que é um pontinho amarelo no mar?

31. O que é um pontinho roxo no céu?

32. O que é um pontinho vermelho pulando no meio da floresta?

33. O que é um pontinho amarelo cantando no meio de um milharal?

Respostas: 28. É um Fandango fazendo *bungee jumping*; 29. É um morango-tango; 30. Um Fandango nadando contra a maré; 31. A super-uva; 32. É um caqui-pereré; 33. A Elba Ramilho.

PONTINHOS

34. O que é um pontinho verde no shopping?

35. O que é um pontinho amarelo apagando o fogo?

36. O que é um pontinho vermelho no fim do mundo?

37. O que é um pontinho marrom no meio do oceano.

38. O que é um pontinho preto no microscópio?

39. **O que são cinco pontinhos no alto do morro?**

40. O que é um pontinho prateado no chão?

Respostas: 34. É uma ervilha consumista; 35. Um Fandango bombeiro; 36. Apple-calipse; 37. Um camarrom; 38. Um pretozoário; 39. Fivela; 40. É uma formiga com New Balance.

PONTINHOS

41. **O que é um pontinho azul e marrom voando?**

42. O que são quatro pontinhos no canto da sala?

43. O que é um pontinho vermelho no pântano?

44. O que é um pontinho verde na Antártica?

45. O que é um pontinho amarelo na selva?

46. O que é um pontinho azul voando?

47. O que é um pontinho vermelho no meio da parede?

Respostas: 41. Uma brown-blue-leta; 42. São quatro pulgas jogando truco; 43. É um jaca-red; 44. Um pin-green; 45. Um yellow-fante; 46. É um uru-blue; 47. Uma acerola alpinista.

PONTINHOS

48. O que é um pontinho marrom no alto de uma árvore, usando uma calculadora?

49. O que é um pontinho marrom no alto de uma árvore, com um notebook?

50. O que é um pontinho vermelho no alto da porta?

51. O que é um pontinho verde voando em altíssima velocidade?

52. O que é um pontinho laranja na selva?

53. O que é um pontinho verde na selva?

Respostas: 48. Um mico-computador; 49. Um mico-empresário; 50. É um morango alpinista; 51. É a super-azeitona; 52. Um orange-tango; 53. Um green-rila.

PONTINHOS

54. O que é um pontinho azul gigantesco em Santa Catarina?

55. O que é um pontinho marrom na Pré-História?

56. O que é um pontinho rosa no meio do mato?

57. O que é um pontinho amarelo na cozinha?

58. O que é um pontinho verde no Facebook?

59. O que é um pontinho amarelo na praia?

60. O que é um pontinho branco pulando de paraquedas?

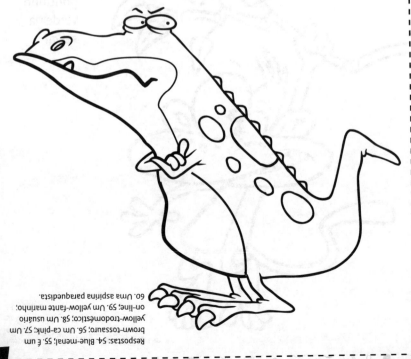

Respostas: 54. Blue-menai; 55. É um brown-tossauro; 56. Um ca-pink; 57. Um yellow-trodoméstico; 58. Um usuário on-line; 59. Um yellow-fante marinho; 60. Uma aspirina paraquedista.

PONTINHOS

61. O que é um pontinho colorido no meio da avenida?

62. O que é um pontinho no Alasca fazendo abdominal?

63. O que é um pontinho cor-de-rosa no armário?

64. O que é um pontinho brilhante em uma vaca?

65. O que é um pontinho vermelho no castelo?

66. O que é um pontinho amarelo no deserto?

67. O que é um pontinho cinza e cantante?

Respostas: 61. Uma formiga com fantasia de carnaval; 62. O abdominável homem das neves; 63. Um cu-pink; 64. Um carrapato de armadura; 65. Pimenta do reino; 66. Um cam-yellow; 67. Um gray-lho.

PONTINHOS

68. O que é um pontinho preto no microscópio americano?

69. O que é um pontinho vermelho na televisão?

70. O que é um pontinho verde na frente de um restaurante famoso?

71. O que são cinco pontinhos azuis em cima de um palco?

72. O que é um pontinho rosa no palco?

73. O que é outro pontinho rosa em outro palco?

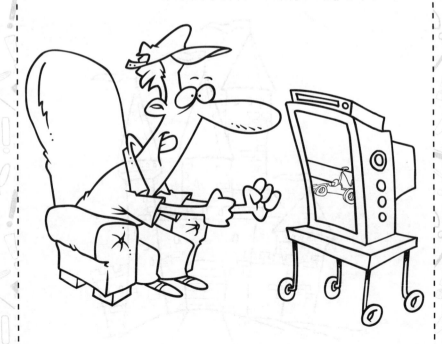

Respostas: 68. Uma black-téria; 69. É a red-Globo; 70. É uma limãosine; 71. Uma banda de blues; 72 Pink Floyd; 73. Samuel Rosa, do Skank.

PONTINHOS

74. O que é um pontinho azul em cima de um cogumelo?

75. O que é um pontinho marrom no Brasil em 1500?

76. O que é um monte de pontinhos rosa na grama?

77. O que é um pontinho amarelo tocando violão?

78. O que são quatro pontinhos azuis tocando guitarrada?

79. O que são pontinhos preto e branco, preto e branco, preto e branco?

80. O que é um pontinho azul no gramado?

Respostas: 74. É o Papai-Smurf; 75. Pedro Alvares Ca-brown; 76. Um pink-nique; 77. Cheetos Buarque; 78. Os Blue-tles; 79. Zebras brincando de pega-pega; 80. É uma formiguinha de calças jeans.

PONTINHOS

81. O que é um pontinho azul-escuro no céu?

82. O que é um pontinho azul embaixo do casaco?

83. O que é um pontinho azul tremendo?

84. O que é um pontinho vermelho, um preto, um amarelo, um rosa e um azul na grama?

85. O que é um pontinho cinza no tatame?

86. O que é um pontinho marrom na feira?

87. O que é um pontinho preto no livro?

Respostas: 81. Uma mosca usando calça jeans; 82. Um Blue-são; 83. Uma pessoa com Blue-sa de frio; 84. Cinco formigas vestidas de Among Us; 85. É um gray-ce; 86. Um brown-colis. 87. Uma formiga querendo entrar para a história.

PONTINHOS

88. O que é um pontinho verde em uma noiva?

89. O que fazem dois pontinhos vermelhos num apartamento?

90. O que é um pontinho azul no canil?

91. O que é um pontinho preto imóvel na calçada?

92. O que é um pontinho que vai e vem no céu?

93. O que é um pontinho amarelo no Titanic?

Respostas: 88. Uma green-alda; 89. Eles estão morango juntos; 90. Um Pit Blue; 91. Uma formiga parada; 92. Um blue-merange; 93. É o yellow-nardo Di Caprio.

PONTINHOS

94. O que são um pontinho azul e outro vermelho brilhando no cinema?

95. O que é um pontinho verde em Pernambuco?

96. O que é um pontinho vermelho no meio do jardim?

97. O que são cinco pontinhos marrons no palco?

98. O que é um pontinho amarelo no sol?

99. O que é um pontinho preto no avião?

100. O que é um pontinho cinza na selva?

Respostas: 94. Dois vagalumes dentro de um óculos 3-D; 95. É um trevo de 4 folhas; 96. Uma pimentinha de plantão; 97. É a banda Charlie brown júnior; 98. Um milho querendo virar pipoca; 99. Uma aeromosca; 100. Um tri-gray.